和爱因斯坦一起做实验

一起做实验

化学的神奇力量

[意] 马蒂亚·克里韦利尼 著　[意] 萝塞拉·特里翁费蒂 绘　马雪云 译

U0178918

新世纪出版社
· 广州 ·

目录

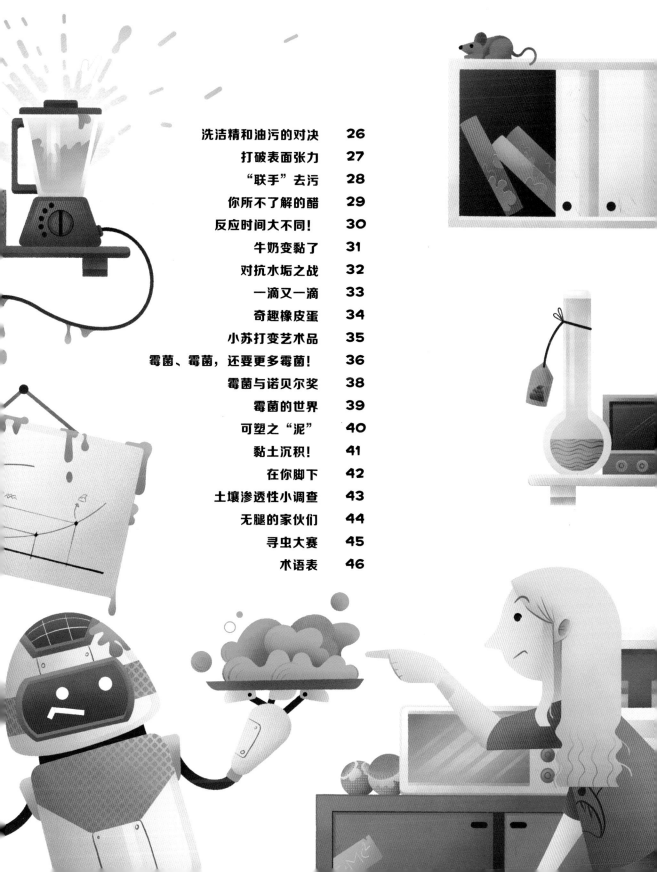

我们这样认识世界

科学研究方法是我们通过科学知识来探究周围世界的方法，也是我们已知的研究世界万物最可靠的方法。

科学并不是"精确"的代名词，但却可以重复，也就是说，它可以重复出现相同的结果。在同样的初始条件下，我们能预料到科学实验会得到相同的结果。科学研究方法具有可实验性，我们通过实验、测试和观察得到结果。在这个有趣的过程中，科学家可以充分发挥自己的创造力。

实验性的科学研究方法主要有以下几步：

1.观察现象，提出问题。
2.提出假设，即对该现象做出一可能的解释。
3.进行实验，检验假设是否正矿
4.分析结果。
5.用不同的方法重复实验。
6.得到结论，创立规则。

与你同行！

我是**阿尔伯特·爱因斯坦**，你可以叫我**阿尔伯特教授**。我是一位有趣的科学家，喜欢旅行和户外骑行。我对生活和宇宙的一切事物都充满热情。

我是**机器人格雷格**，属于高级人工智能产品。我有一个正电子大脑，里面却装满了不解……

我叫**艾玛**，我的爱好和其他人不太一样，我最喜欢带着糖果和昆汀·塔伦蒂诺的电影，跟着阿尔伯特教授去旅行。

四个字：安全第一！

1. 在做任何实验之前，要先仔细阅读所有实验说明，确保所需材料的齐全。

2. 在实验期间，禁止饮食，尤其重要的是严禁把实验用品放进嘴里！这可不是开玩笑，千万不要这样做！

3. 由于实验中你可能会把自己弄脏，尽量换上旧衣服吧！食用色素还可能会沾到你的衣服和皮肤上。

4. 每次实验后要记得洗手，有些实验用品可能会危害健康。

5. 把黏液或黏性化合物倒进垃圾桶，不要倒进下水道。

本书中的一些科学实验需要在成年人的帮助和看护下进行。

+

起泡胶与科学

史莱姆起泡胶的历史有多久？

史莱姆起泡胶已经面世40多年了！在20世纪70年代中期，人们就发明了史莱姆起泡胶。

最早的史莱姆起泡胶是绿色的，它被装在一个形状像垃圾桶的小塑料罐里进行售卖。

史莱姆起泡胶上市后立即受到人们的追捧，从那以后，市面上开始出现了各种不同颜色、气味和手感的史莱姆起泡胶。

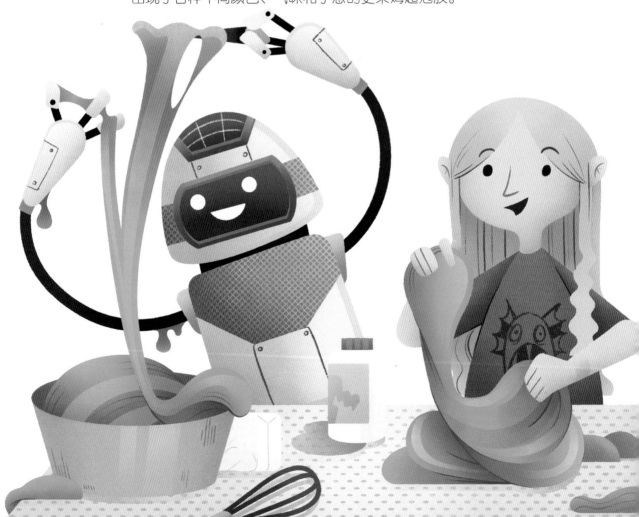

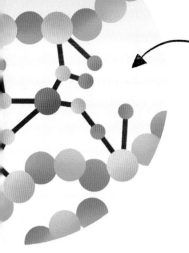

史莱姆起泡胶
的高分子结构

是液体还是固体?

史莱姆起泡胶不属于正常的液体。它具有一些奇怪的特性,因此属于**非牛顿流体**。它的状态会随着受力情况而发生改变。

史莱姆起泡胶
的化学性质

史莱姆起泡胶黏稠、湿润,而且柔软有弹性,是一种经过特殊化学反应的结果,这种化学反应能让它变滑。

史莱姆起泡胶的主要成分是液体胶水。液体胶水由**聚合物**构成。这些**聚合物分子**就像一条条长链,它们在彼此之间可以自由移动,因此,胶水呈液态。

在胶水中加入**活化液**并用力搅拌,能激发**化学反应**。这种反应让链条之间形成化学键,把链条互相连在一起,形成网状结构。

不受力

如果我们不对史莱姆起泡胶用力,而让其自然地从指缝流出,它会像液体一样下滑。

受力

但是,如果我们用力拉伸或挤压,它便会像固体一样坚硬。

电影里的史莱姆

在1984年上映的电影《捉鬼特工队》中,史莱姆起泡胶首次"亮相"。它化身为一个贪婪又肥胖的怪物,总是到处留下黏糊糊的绿色踪迹。

好玩的史莱姆起泡胶

你需要准备：
- 透明胶水和白色乳胶
- 剃须膏
- 小苏打
- 食用色素
- 洗衣液
- 一只碗
- 一把勺子

开始做实验吧：

1 向碗里加入3勺透明胶水和3勺白乳胶，再加入少许剃须膏和食用色素，用勺子进行搅拌。

2 再分别向碗中加入1勺小苏打和1勺洗衣液，继续用力搅拌。

现在，来搅拌吧！

8

你知道吗

如果加入一些闪光粉，你的史莱姆起泡胶的颜色就会更亮哟。

实验成功！

3

待混合物静置15分钟后，用勺子继续搅拌。如果混合物没有变黏稠，再加入1勺洗衣液调试。

4

最后，像揉面团那样，用你的双手揉捏史莱姆起泡胶。

发生了什么

当你向碗中加入小苏打和洗衣液时，就会发生使液体胶水变成黏糊糊明胶状物质的化学反应。记住：静置时间很关键。如果第一次没有成功，那就多试几次吧。

黏黏的蜂蜜

什么是黏度？

水和蜂蜜自由下落时的情况不一样。由于水并不黏稠，所以它下落速度很快。相反，蜂蜜的下落速度非常慢，因为它非常黏稠。**黏度**是流体的一种特性，它是流体对流动所表现的阻力，即当流体一部分在另一部分上面流动时，由于分子间相互的吸引力，导致流体流动时受到阻力。

温度和黏度

温度可以改变物体的黏度。随着温度的升高，黏度会降低。例如，如果你用平底锅或微波炉加热蜂蜜，就能看到蜂蜜的性状发生了改变。那么，**它的黏度是提高还是降低了呢？**

固体蜂蜜

流体蜂蜜

冷　　　　　　　　热

什么是密度？

物体的**密度**指物体的质量和体积之比。**质量**是指物体内的物质的数量，**体积**表示物体所占空间的大小。

密度的奥秘

流体分为**牛顿流体**和**非牛顿流体**。因为是**艾萨克·牛顿**发现并描述了这些流体运动的方式，所以，这两种流体就用他的名字来命名了。

艾萨克·牛顿

体积相同，质量不同

物体的**密度**也取决于温度。虽然物体的质量不会随着温度的变化而变化，但体积却会。也就是说，当温度升高，物体可能会膨胀（体积增大），导致密度减小；而温度降低时，物体收缩（体积减小），密度增大。

水是个例外！

当温度降低时，水就会变成冰，它的体积增大、密度减小，反之亦然。这就是为什么冰的密度比水小，并能够漂浮在水面的原因。

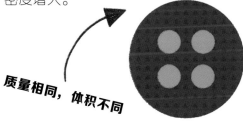

质量相同，体积不同

密度更大，不一定黏度更大

密度和黏度不一定相关。比如，油的密度比水小，但黏度比水大。

万物的黏度

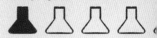
你需要准备：
- 一杯水
- 一杯液体蜂蜜
- 两把勺子
- 秒表或其他计时器

开始做实验吧：

1 把勺子放进水杯中。

2 尽量用勺子多舀些水，再把它平举在杯子上方。

3 轻轻倾斜勺子，让水流回水杯中。

4 观察并用秒表计时，记录水完全从勺中流完时所用的时间。

5 用同样的方法，对蜂蜜重复上述实验过程。

发生了什么

你正在观察黏度带来的直接影响。因为蜂蜜黏度大，所以它从勺子上流下来需要的时间更长。

轮到你了！

请你找找家里其他的液体（保证其安全无毒性），征求成年人同意后，观察它们下落的速度更接近水还是蜂蜜。

看，它们分层了！

困难等级：

脏乱等级：

时间：10~15分钟
你自己就能完成哟，加油！

你需要准备：

一个带盖的玻璃瓶（例如果汁瓶）
蜂蜜
一杯水
食用色素（推荐用蓝色）
洗洁精
植物油（葵花籽油、花生油或者橄榄油）
工业酒精（用于清洁和消毒的酒精）

注意！

倒入蜂蜜和洗洁精两种液体时，要把它们倒向瓶中心，注意不要碰到瓶壁。倒其他几种液体时（加了食用色素的水、植物油和酒精），要顺着瓶壁倒入，不要摇晃或倒置瓶子，防止不同的液体混合。

开始做实验吧：

1 往水中加入几滴食用色素。

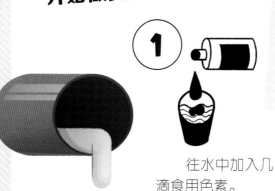

2 按以下顺序向玻璃瓶中缓慢依次加入蜂蜜、洗洁精、加了食用色素的水、植物油、工业酒精，使每一种液体都在瓶中形成约2.5厘米厚的沉积物分层。

3 盖紧瓶盖，这样你就可以让它长时间静置了。

发生了什么

由于每种液体的**密度**不同，它们一层接一层地分层叠加在瓶中。当浸入**密度较小**的流体里时，**密度较大**的液体或物体会**下沉**，反之亦然。

"吃软不吃硬"的淀粉糊

除史莱姆起泡胶之外，我们在日常生活中经常见到的**非牛顿流体**还有番茄酱、血液、颜料和牙膏等。还有些不常见的非牛顿流体，比如流沙。

你需要准备：
- 玉米淀粉（或者土豆淀粉）
- 水
- 碗
- 玻璃杯
- 食用色素（如果你想用的话）

发生了什么

用你的手指或勺子快速敲击淀粉糊，会发生什么呢？如果你慢慢敲打它，又会怎样呢？你会发现，当快速而有力地敲打淀粉糊时，它会变硬，而当你用水轻轻地打涂它，它会表现得更像液体。

开始做实验吧：

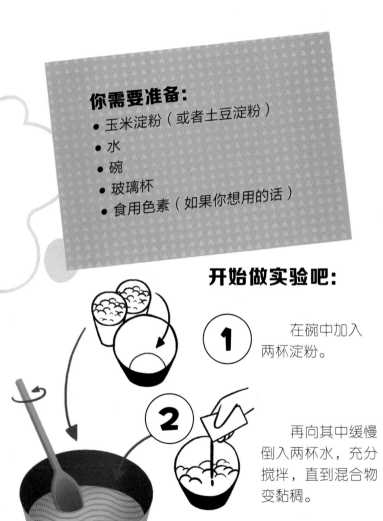

1 在碗中加入两杯淀粉。

2 再向其中缓慢倒入两杯水，充分搅拌，直到混合物变黏稠。

3 可以不断向混合物中添加水或淀粉，直到获得你喜欢的黏稠度为止。

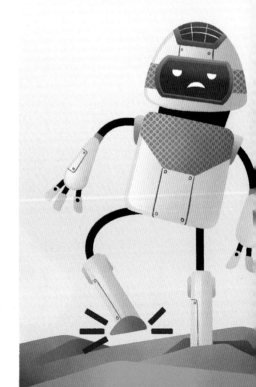

软乎乎的史莱姆起泡胶

你需要准备：

- 厨房秤
- 3克硼砂
- 水
- 20克胶水
- 20克剃须膏
- 10克洗洁精
- 食用色素

开始做实验吧：

困难等级：

脏乱等级：

时间：10～15分钟
和爸爸妈妈一起做！

1

在平底锅里加热80克水，然后加入3克硼砂，混合均匀。你的活性剂就准备好啦！

2

把胶水、剃须膏和洗洁精倒入碗里，充分混合后加入食用色素。

3

混合物变得光滑后，加入3勺活性剂，搅拌几分钟。

4

很快，混合物变得越来越容易拉丝。当混合物不再黏糊糊的时候，把它拿在手里，开始揉捏。持续几分钟，直到史莱姆起泡胶达到你想要的平滑度。

发生了什么

你加入的硼砂作为活性剂把胶水中的分子链连接起来，形成凝胶网，这是一种典型的史莱姆起泡胶的做法。

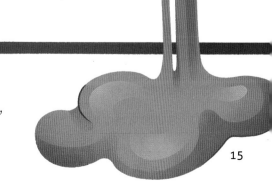

15

铁为什么会生锈

铁锈是怎么形成的？

　　当我们把铁制品长时间暴露在潮湿的空气中时，这些铁制品就会受到腐蚀，形成一块块红色的铁锈。可是，铁锈是如何形成的呢？

　　生锈是由于发生了氧化反应，**铁锈**就是这种反应的产物。

铁和空气中的氧气以及潮湿空气中的水分发生反应，并在大气中二氧化碳的作用下，会变成一块块薄片。这些块状薄片脱落后，下面未被腐蚀的部分将继续发生这种反应，直到所有的铁都变成锈。这就是**铁的生锈过程**。

> 铁

氧化层

并非所有物质都会被氧化，化学家们根据物质氧化的难易程度给金属物质作了一个排序。右图展示了4种金属被氧化的难易程度。其中，最易被氧化的金属为铁，你知道在这4种金属中，哪种金属最难被氧化吗？

> 铝

> 锌

> 铬

如何防止金属生锈

最常见的防锈处理技术是镀锌和镀铬，比如给铁制品的外表面镀上一层锌或铬的"衣服"，使内层的铁不受侵蚀。这也是我们预防汽车、摩托车和自行车生锈的方法。

这位先生是**汉弗里·戴维爵士**。正是他发明了保护铁的方法！

不锈钢为什么"不锈"

在我们常见的许多金属中，有些金属具有强大的抗锈能力。

不锈钢之所以不会生锈是因为它含有少量的铬。也就是说，不锈钢能更好地抗氧化、抗腐蚀，从而避免自身生锈。铬和氧气发生反应后，能在金属表面生成一层白色的氧化物，保护内层的金属不会由于外界原因而发生腐蚀。

钢是一种**金属合金**，主要由铁和少量的碳（含量约2%）组成。

合金的种类

合金就是一种金属和另外一种或更多种元素的混合物。

铁＋碳＝钢

铁＋碳＋铬＝不锈钢

铜＋锌＝黄铜

铜＋锡＝青铜

与组成合金的每种物质相比，合金具有不一样的金属特性。

例如，钢比铁更耐腐蚀；黄铜比铜更硬、比锌更亮。

让它们全部生锈吧!

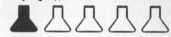

你需要准备:

- 四个玻璃杯
- 水
- 一勺盐
- 植物油
- 醋
- 四枚铁钉

开始做实验吧:

1 在第一个杯子中倒入水,在第二个杯子中倒入盐和水,在第三个杯子中倒入醋,在第四个杯子中倒入植物油。

2 往每个杯子里放入一枚铁钉。

3 请你每天观察这几个杯子,看看发生了什么呢?哪个杯子中的铁钉会最早生锈?

保持耐心,看看两天后发生了什么?那么,四天后呢?

困难等级:

脏乱等级:

时间:5分钟

+3 ~ 4天

你自己就能完成哟,加油!

发生了什么

铁暴露在空气和水中就会生锈。因此,铁钉在没有水的地方就不会生锈。盐会加速铁钉生锈的过程,因为盐有助于水和空气更快地发生氧化反应。

像植物油一样滑，
像黄油一样腻

饱和脂肪酸

什么是油脂和脂肪？

对啦！厨房里并不全是美味的食物，也藏着很多污垢。

我们在厨房发现的污垢主要由脂肪和油组成，它们含有叫作**脂肪酸**的分子。这些酸是由一条长的碳链形成，**碳原子**之间由两种不同的化学键连接。

单键相连成直链，形成典型的**饱和脂肪酸**。而双键相连成弯曲的链，形成典型的**不饱和脂肪酸**。

正是不同的化学键决定了脂肪酸的不同特性！

比如脂肪酸中的双键越多，脂肪融化的温度就越低。

这个鸡腿里全是脂肪！

不饱和脂肪酸

为什么黄油是固态的，而植物油是液态的？

在动物界，**饱和脂肪酸**占主导地位，比如黄油和猪油；而在植物界，**不饱和脂肪酸**占主导地位，比如橄榄油和杏仁油。

动物脂肪没有双键，常温下呈固态；而植物油富含双键，常温下呈液态。

脂类——美妙的滋味

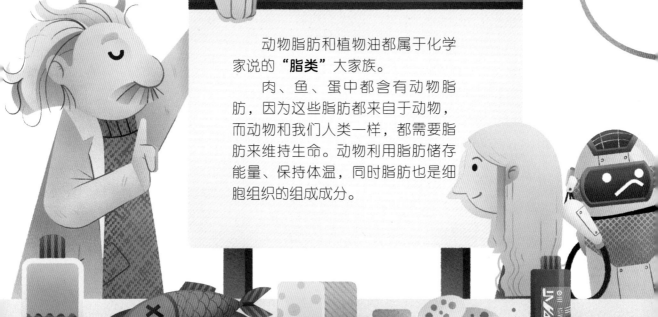

动物脂肪和植物油都属于化学家说的"**脂类**"大家族。

肉、鱼、蛋中都含有动物脂肪，因为这些脂肪都来自于动物，而动物和我们人类一样，都需要脂肪来维持生命。动物利用脂肪储存能量、保持体温，同时脂肪也是细胞组织的组成成分。

相似相溶！

脂类不溶于水，但是它们可溶于其他与它们结构相似的物质中，比如丙酮、酒精和碳氢化合物（石油）。因此，我们需要用特定的产品才能洗掉锅里和衣服上的各种油污！

蜡也属于脂类。有些植物的叶子和果实表面就覆盖有一层薄薄的蜡质，以减少水分蒸发，同时也是抵御害虫的保护层。蜡还是许多昆虫骨骼的组成部分，在水禽的羽毛上也覆盖有蜡质。

瓶子里的泡泡

需要准备：

- 一个玻璃杯
- 水
- 植物油（玉米油、葵花籽油或者花生油）
- 食用色素
- 一把勺子
- 一片泡腾片（比如阿司匹林）

开始做实验吧：

1 在玻璃杯中倒入三分之一容量的水。

2 加入几滴食用色素，用勺子搅拌均匀。

3 向玻璃杯中缓缓加入植物油，直到加满为止。小心，不要弄出气泡。

4 将杯子静置一会儿，让两种液体完成分层。

5 在玻璃杯中放入泡腾片，观察会发生什么。

发生了什么

水和油是互不相溶的液体，也就是说，它们不会混合在一起。泡腾片与水接触时会释放出气泡，气泡与水结合并上升到液体表面。在与空气接触后，气泡破裂，密度比油大的水下沉。如此过程不断循环。

污垢的克星

污垢最怕的敌人就是肥皂。肥皂是一种**化学反应**的产物，这种反应叫**皂化反应**。

肥皂拥有两大力量！

构成肥皂的分子的两端具有不同的基团，所以具有双重特性：

• **亲水基头部**，可以和水结合，会破坏水分子间的吸引力而使水的表面张力降低，使水分子均匀分配在待清洗的衣物或皮肤表面。

• **亲油基尾部**，不溶于水，能吸附脂肪和油性物质。

肥皂分子遇到污垢时，会排列成圆形，亲油尾部向内，和污垢结合；亲水头部向外，和水结合。就这样，形成一种叫"胶束"的小球。

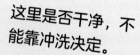

这里是否干净，不能靠冲洗决定。

肥皂具有清洁力量的秘密就在于**胶束**！这种特殊的排列方式，让肥皂可以轻松"抓住"污垢，再由亲水端把其带入水中。

肥皂可以破坏液体的**表面张力**，即在液体表面形成一层看不见的弹性膜。所以，肥皂也叫**表面活性剂**。

水上行走的艺术

有些昆虫会利用**表面张力**，也就是分子间的吸引力，在水面上漂浮或行走。

洗洁精和油污的对决

困难等级：
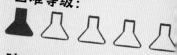

脏乱等级：

时间：5~10分钟
你自己就能完成哟，加油！

你需要准备：

- 一个玻璃杯
- 水
- 植物油
- 一勺洗洁精
- 一把勺子

开始做实验吧：

1 在玻璃杯中加入半杯水。

2 在玻璃杯中加入三分之一杯植物油。

3 将液体混合搅拌，观察一会儿，看看会发生什么。

4 待两种液体分层后，加入一勺洗洁精，混合搅拌，观察结果。

发生了什么

我们知道水和油不相溶，但加入洗洁精（与肥皂去污原理相同）后，油滴被胶束"捕获"，使油溶于水中。

打破表面张力

需要准备：
- 一只干净的碗
- 水
- 胡椒粉
- 洗洁精

我正在水
上走呢！

开始做实验吧：

1 在干净的碗中加入自来水。

2 小心地向碗中撒入胡椒粉，使其覆盖于整个水面，观察胡椒粉在水面的分布情况。

3 在碗的中央滴一滴洗洁精，仔细观察。

发生了什么

一开始，胡椒粉漂浮在水面上，因为它很轻，无法破坏水的**表面张力**。而滴入的洗洁精打破了这层"膜"，让胡椒粉落到了碗底。

27

"联手"去污

注意，看这里！

令我们意想不到的是，厨房用料里竟然隐藏着很多神奇的科学惊喜！

小苏打看上去不过是精细的白色粉末，但其实它是一种用途广泛的碱。

① 帮助去污

小苏打能增强肥皂的效用，因为它是一种碱，而且它的砂质特性又让它具有轻微的研磨性，不过它不能单独去除油污。

② 吸收异味

除臭剂及芳香蜡烛能够产生香味并覆盖原有的气味。小苏打和这两者不同，它能吸收异味。

③ 用于清洁

正因为小苏打具有清洁能力，人们才在洗衣液和增白牙膏里添加小苏打，去除污渍。

④ 可以灭火

当受热超过100℃时，小苏打会释放出能够隔离氧气的二氧化碳，因此，它也是一种理想的灭火剂。

小苏打

你所不了解的醋

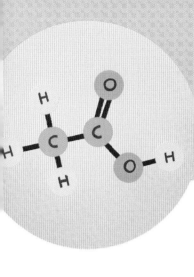

除了给沙拉调味，醋还有其他功能！醋是一种酸性物质，这种特性使它成为一种良好的洗涤剂。

趣知识

醋的浓度如果过高，就会腐蚀一些物品，比如石头和橡胶等。醋还会对有些金属具有很强的腐蚀性，比如铸铁、铝和钢，同时，它对皮肤也有刺激性。

英语中"醋"这个单词，来自古法语，原意指"酸酒"。

闪光起泡的混合物

你试过把小苏打和醋混合起来吗？混合物会释放水和二氧化碳，同时涌出大量泡沫！

不过，这种反应并不能去污：如果我们把酸和碱混合，它们彼此的特性都会消失，不再具有去污能力。

反应时间大不同！

你需要准备：
- 四个玻璃杯
- 水
- 醋
- 小苏打
- 塔塔粉
- 蜂蜜
- 勺子
- 一个汤锅或者水壶，用来烧水

困难等级：

脏乱等级：

时间：10～15分钟
+4～5小时
和爸爸妈妈一起做！

开始做实验吧：

1 在每个杯子中各加入两勺小苏打。

2 在第一个杯子里加入半杯醋。

3 在第二个杯子里，先加入两勺塔塔粉，再加入半杯常温水。

4 在第三个杯子中加入两勺蜂蜜，混合均匀。

5 在第四个杯子里加入半杯沸水。

发生了什么

并非所有**酸碱反应**都以相同的速度发生：有的反应得迅速一些，有的反应得迟缓一些。

第一个杯子	第二个杯子	第三个杯子	第四个杯子
反应发生得很快，释放出的二氧化碳消失得也很快。	反应发生得慢一些，几分钟后才有二氧化碳释放出来。	由于杯中的蜂蜜非常黏稠，不能马上释放二氧化碳，要等几个小时。	反应在瞬间发生，产生的二氧化碳也立即消失了。

牛奶变黏了

 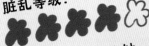
你需要准备：
- 一杯牛奶
- 四勺白醋
- 一勺小苏打
- 水
- 一个煮锅
- 一个滤网

开始做实验吧：

1 在锅中加热牛奶。

2 将锅远离热源，向牛奶中加入四勺白醋，搅拌均匀，静置10分钟。

3 用滤网过滤混合液体，等待10分钟。

4 把凝结的块状混合物倒入锅中。

5 加入1勺小苏打和4~5勺水，使其溶解。

6 用中低火加热混合物，边加热边搅拌，直到混合物开始沸腾。

7 混合物沸腾后，关掉热源，静置冷却。

8 你会得到一种有点黏稠的液体物质，它可以当作胶水使用。

如果不能马上使用，别灰心，胶水需要冷却几个小时才能产生黏性。

发生了什么

醋使牛奶凝结，分离为液体和固体两部分。小苏打与含有酸的凝乳接触后，就把它变成黏糊糊的胶状物，并且释放出气泡。

对抗水垢之战

在洗手池、瓷砖和其他与水接触的用具表面，会形成一层坚硬的白色物质，你知道它是什么吗？

那就是**水垢**。

水垢的主要成分是**碳酸钙**，与自然界中的大理石、石灰石成分相同。

在自然界的水循环过程中，当水遇到岩石，就带走了水中的矿物质，比如碳酸钙、镁和碳酸氢盐。水蒸发后，这些矿物质沉积下来，就形成**石灰石**。

日复一日，一滴又一滴，自来水中碳酸钙逐渐沉积，形成的微小颗粒可以堵塞或损坏管道。碳酸钙能够被酸溶解，这就是为什么用醋能够很好地去除水垢的原因。

一滴又一滴

　　水能造就伟大的工程！一滴又一滴，它造出了绝美的地质奇迹：钟乳石和石笋。

　　钟乳石和**石笋**由水滴中不断沉积下来的矿物质形成。下雨时，大气中的二氧化碳进入水里，二者反应生成碳酸，因此，雨水略呈酸性。酸性液体把岩石中的碳酸钙溶解，生成碳酸氢钙，随水流运动。当溶有碳酸氢钙的水遇热或当压强突然变小时，溶解在水里的碳酸氢钙就会分解，重新生成碳酸钙沉积下来，同时放出二氧化碳。在溶洞中，洞顶的水不断发生上述反应，碳酸钙有的沉积在洞顶，有的沉积在洞底。日久天长，洞顶的形成钟乳石，洞底的形成石笋。

趣知识

　　在英语中，"钟乳石"一词源自希腊语，原意是"滴落"。地质学家把从溶洞顶部悬挂下来的结构称为钟乳石，把长在溶洞底部的结构称为石笋。经过非常漫长的时间，两种结构都在不停生长，直到它们连接在一起，形成石柱。

奇趣橡皮蛋

你需要准备：

- 一个玻璃杯
- 一个鸡蛋
- 醋
- 一个煮锅
- 水

开始做实验吧：

1 把鸡蛋放进煮锅，加水，使其没过鸡蛋。

2 开火将鸡蛋煮10分钟，直到鸡蛋煮熟。

3 待鸡蛋冷却后，将它放入玻璃杯中。

4 往杯子里加入醋，直到完全没过鸡蛋。

5 保证鸡蛋在杯中泡上一整天。

6 把鸡蛋从玻璃杯中取出，再冲洗一下，它就变成你的玩具啦。

困难等级：

脏乱等级：

时间：10～15分钟
+1天
和爸爸妈妈一起做！

发生了什么

醋的酸性腐蚀了主要成分为碳酸钙的蛋壳，但留下了蛋壳里面的整个膜层。这层膜虽然很薄，却很结实。因此，你的橡皮蛋可以"蹦来蹦去"，不会破碎。

小苏打变艺术品

开始做实验吧：

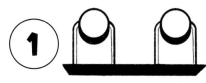

1 把两个玻璃瓶放在托盘上，相距15~20厘米。

困难等级：

脏乱等级：

时间：10~15分钟

+7~10天

和爸爸妈妈一起做！

2 在煮锅中加入500毫升水，煮沸。

3 将煮锅从火上移开，慢慢向内加入小苏打，搅拌使其充分溶解。

4 把混合溶液倒入玻璃瓶，等待其冷却。

5 在毛线中间打一个，再在两端各打几个结，以便增加毛线两端的重量。

6 将毛线两端浸入两个玻璃瓶的溶液中，静置几天，不要碰触。

将小苏打放入沸水中时，会释放出二氧化碳，形成气泡和泡沫。

发生了什么

溶有小苏打的水最终会蒸发，于是，小苏打在毛线上将形成结晶，创造出一个"小钟乳石"，就像在溶洞里发生的事情一样！

！ 由于温度和湿度影响，也许实验结果很难形成结晶，你可以多尝试，不要气馁！

霉菌、霉菌，还要更多霉菌！

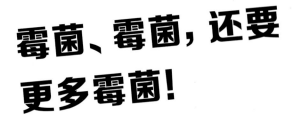

如果你把水果或奶酪装在密闭容器，放在冰箱或食品储藏柜一段时间，你就会看到在它们的表面上出现了一种像海绵一样的白色或绿色的斑点。**这就是我要向你介绍的霉菌。**

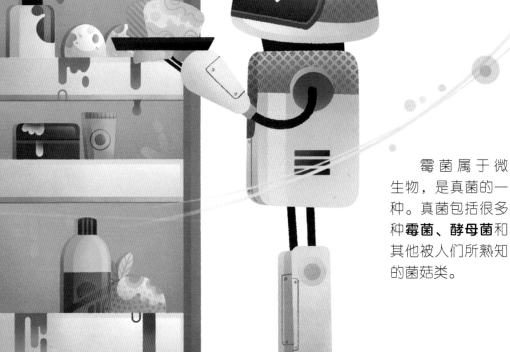

霉菌属于微生物，是真菌的一种。真菌包括很多种**霉菌、酵母菌**和其他被人们所熟知的菌菇类。

霉菌看起来呈**海绵状**，由于种类和所处环境不同，霉菌有各种颜色（黑色、绿色、棕色、红色、蓝色、黄色）。霉菌由很多细丝（菌丝）交织而成，这些细丝具有探索、固着和吸收营养的功能。

在不利的外部环境下，有些菌丝可以转变成孢子。这是它的一种生存方式，一旦能再次找到适合繁殖的环境，孢子就会发育成新的个体。

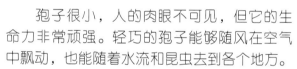

霉菌的孢子

孢子很小，人的肉眼不可见，但它的生命力非常顽强。轻巧的孢子能够随风在空气中飘动，也能随着水流和昆虫去到各个地方。

霉菌落到房屋里，可以在潮湿且封闭的环境中生长，比如地窖和浴室。

储存在橱柜、冰箱或其他密封环境中的不新鲜食物，其表面也会生长霉菌。

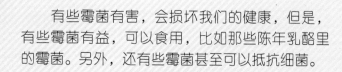

有些霉菌有害，会损坏我们的健康，但是，有些霉菌有益，可以食用，比如那些陈年乳酪里的霉菌。另外，还有些霉菌甚至可以抵抗细菌。

霉菌与诺贝尔奖

也许听起来有些不可思议，但霉菌确实让英国细菌学家、生物化学家**亚历山大·弗莱明**获得了1945年的诺贝尔生理或医学奖。

1928年，弗莱明对生长在特殊器皿内的细菌进行了研究。其间，他曾离开实验室去度假。当弗莱明在几天后返回实验室时，他注意到器皿内的一种细菌被真菌污染了，而细菌在那个区域并没有生长。弗莱明意识到，霉菌可能是导致细菌死亡的原因。因此，他开始研究霉菌，并发现了一种被他称为"青霉素"的物质。

青霉素是最早的抗生素，它帮助人类战胜了很多种疾病。

在青霉素被发现的35年前，意大利医生**文森佐·蒂贝里奥**已经发现了这种霉菌的益处。他注意到，每次房子附近的一口水井被清理掉霉菌时，喝了井水的人就会出现肠道问题，只有霉菌再次出现时，这种现象才会消失。蒂贝里奥在一份学术杂志上发表了他的研究结果，但不幸的是，他的发现被人们忽视了。

霉菌的世界

困难等级:

脏乱等级:

时间：30 ~ 40分钟
+5 ~ 7天
和爸爸妈妈一起做！
+

需要准备：

- 一个带盖的容积为100毫升的塑料容器
- 四分之一块肉味汤块
- 一勺白糖
- 一克琼脂
- 一口锅
- 一根棉签

开始做实验吧：

1 在煮锅中，把1勺白糖和1克琼脂溶解于200毫升水，混合均匀。

2 在煮锅中加入肉味汤块并加热，让肉汤块充分溶解。

3 把混合物倒入塑料容器中，冷却到常温。

4 肉汤冷却并凝结后，一个可以培养微生物的培养基就准备好啦。

5 用棉签在冰箱门上擦一下，再用它在培养基表面画一个"Z"字。

6 将容器的盖子盖好，静静等待几天。

发生了什么

你做好的培养基就像一块土壤，可以培养空气和周围环境中的多种霉菌、酵母菌和细菌。

注意！

实验期间，千万不要打开容器！本实验只需要你进行持续观察。为了安全起见，实验结束后，请你把所有东西扔进垃圾桶。

可塑之"泥"

污泥可以是泥浆，也可以是泥糊。在雨天，你可能会踩进泥浆，弄脏鞋子和脚；平日里，你也可以做出易于涂抹的泥糊，用来进行美容疗法。

泥糊

泥浆里有泥土、灰尘和分散在那少量液体里的所有固体小颗粒。如果将这样的混合物静置一段时间，分散在其中的物质就会沉积在底部，成为泥糊。

活性污泥

人们在将家庭污水处理成纯净水的过程中，有一个环节是活化污泥。污泥里的细菌以有机物为食，并把有机物分解成其他更简单的物质，比如二氧化碳和水。同时，细菌通过这个过程获得生长和繁殖所需的能量。

热泥浆

热泥浆中富含黏土、矿物质和藻类，它具有很多有益的特性。热泥浆在被人们使用前会经过压缩，以便于泥里的营养物质能够进入皮肤，而从人们体内排出的废物则会被热泥浆吸收。

黏土沉积！

你需要准备：

- 砾石
- 黏土
- 沙子
- 园林土
- 水
- 一只碗
- 一个高度至少为40厘米的干净罐子

开始做实验吧：

困难等级：

脏乱等级：

时间：10 ~ 15分钟
你自己就能完成哟，加油！

1

在罐子里装入四分之三容量的水。

2

在碗里混合以下材料：砾石、黏土、沙子、园林土（3~4勺），总量应保证能够装满1~2个普通杯子。

3

慢慢把混合物放进有水的罐子里，然后进行观察。

发生了什么

你会看到最大最重的颗粒，比如砾石，率先沉到底部。而黏土仍然悬浮在水中，并慢慢下沉，成为沉积物最上面的一层。

41

在你脚下

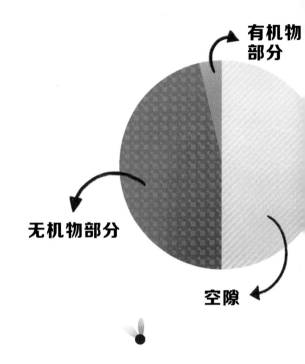

有机物部分

无机物部分

空隙

脚下的土壤由什么组成

土壤是覆盖在地球表面的有机物和无机物的混合物。其中的**无机物部分**（大约占45%～50%）来自岩石中的矿物质。**有机物部分**（大约占5%～10%）也称为腐殖质，由叶子、种子和动物遗骸组成，正是这一层的存在，使土壤非常肥沃。而剩余的部分是**空隙**，里面充满了空气和水，根据土壤种类和环境条件（温度、湿度和降水）的不同，空气和水的比例不同。

土壤渗透性

土壤渗透性是指某种土壤对地表水的渗透能力。土壤中的空隙越多，渗透性就越好。

水可以轻易通过。　**碎石层**

可渗透，即水可以穿过沙子。　**沙层**

不可渗透，即水不能穿过黏土。　**黏土层**

（碎石、沙子和黏土）差不多可渗透，适合种植。　**混合层**

土壤渗透性小调查

你需要准备：

- 三个容量为2升的塑料瓶
- 一杯沙子
- 一杯黏土
- 一杯花园土
- 水
- 纱布
- 三根皮筋
- 一把剪刀

困难等级：

脏乱等级：

时间：15~20分钟
和爸爸妈妈一起做！

开始做实验吧：

沿3个瓶身上方的三分之一处剪下，你会得到3个"漏斗"。把它们的瓶盖拿掉。

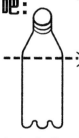

在3个瓶子的瓶口处蒙上相同层数的纱布（每个瓶口蒙3层即可），用皮筋扎紧。

把你做的3个漏斗倒放在3个瓶子上。

分别往漏斗中加入一杯沙子、一杯黏土、一杯花园土。

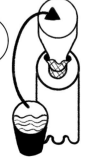

再往每个漏斗里倒入一杯水，等待10分钟，观察发生了什么。

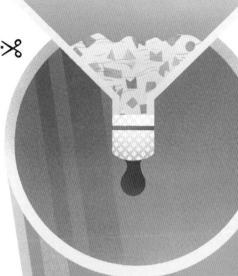

发生了什么

不同的土壤保持水分的情况也不同：水从沙子中可以很快通过，从花园土中却流得慢些，从黏土中流得更慢。

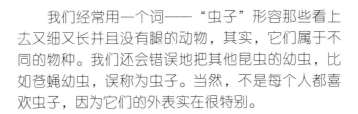

无腿的家伙们

我们经常用一个词——"虫子"形容那些看上去又细又长并且没有腿的动物，其实，它们属于不同的物种。我们还会错误地把其他昆虫的幼虫，比如苍蝇幼虫，误称为虫子。当然，不是每个人都喜欢虫子，因为它们的外表实在很特别。

每种虫子都有自己的昵称

根据各自的特征，虫子有不同的名称，比如圆虫（线虫纲）、扁虫（扁形动物门）、环节虫（环节动物门）。还有一种因为形状和颜色接近圣诞树的虫子，被昵称为"圣诞树虫"（大旋鳃虫）。

你知道吗

蚯蚓是被人们最为熟知的一种蠕虫，不过，你可能不知道，它们的作用非常大！蚯蚓能够不停地在土里"钻地道"，把不同的土层混合在一起，让土壤更肥沃，让水和空气进入其中，使植物的根扎得更深。

寻虫大赛

你需要准备：

- 2克海藻酸钠
- 水
- 2克氯化钙或除湿盐
- 两个玻璃杯
- 手持式搅拌机
- 食用色素
- 勺子或无针头的注射器

玩弄花园里的虫子可不是什么好主意，不如通过实验"自制"虫子吧。这样既不会吓到你的朋友们，也不用去"打扰"虫虫们。

开始做实验吧：

困难等级：

脏乱等级：

时间：10~15分钟
和爸爸妈妈一起做！

1

在一个杯子中盛200毫升水，加入2克海藻酸钠。

2

再向其中滴入一些食用色素。

3

将混合液搅拌均匀，直到海藻酸钠全部溶解。

4

取另一个杯子盛200毫升水，加入2克氯化钙，搅拌溶解。

5

用勺子或无针头注射器取少量海藻酸钠溶液，加入氯化钙溶液中，你就能看到明胶状的"虫子"正在生成。

6

让"虫子"在混合溶液里浸泡几分钟，然后拿出来晾干，你就可以和它一起玩耍了。

小提示

海藻酸钠和氯化钙混合时间越长，沉淀物就越多，形成的"虫子"也就更硬、更有弹性。

发生了什么

从海藻中提取的海藻酸钠与氯化钙接触时，会形成分子间的化学键。这些化学键把分子连在一起，在水里形成某种胶，就是我们看到的那些黏糊糊的"小虫子"。

术语表

表面活性剂：能使液体表面张力显著下降的物质，比如洗涤剂。

表面张力：水等液体产生的使表面尽可能缩小的力。

非牛顿流体：不满足牛顿黏性实验定律的流体。

分子：两个及两个以上的原子，通过化学键连在一起，形成分子。

化学反应：一种化学过程。在这个过程中，两个或更多种物质，即反应试剂，结合起来形成新的物质，即产物。

碱：一种具有腐蚀性的苦味物质，一般用来做去污剂。碱和酸在化学上互相对立。有些碱的碱性弱，比如小苏打，有些碱的碱性强且危险，比如烧碱。

胶束：在水溶液中，表面活性剂达到一定值后开始大量形成的分子有序聚集体。在胶束中，表面活性剂分子的疏水基聚集构成胶束内核，亲水的极性基团构成胶束外层。

金属合金：两种或更多元素的混合物，其中一种是金属。

聚合物：一般指高分子化合物。由许多重复的碱基单元（部件）形成的链条组成的大分子。

流体：呈液体或气体状态的物质，比如水、空气等。

密度：物质的质量与体积的比值。

黏度：流体对流动所表现的阻力。

溶液：两种或两种以上的物质混合形成的均匀稳定的混合物。溶液可以是液态，也可以是气态和固态。比如大海里的盐水，或者由各种气体组成的空气。

渗透性：物质或材料允许水通过的能力。

酸：具有酸味的物质，能腐蚀金属。酸的PH值小于7，在化学上和碱相互对立。有些酸的酸性弱，比如醋和柠檬里的酸，有些酸的酸性很强，较为危险，比如我们胃里的胃酸。

体积：物质所占空间的大小。

氧化反应：物质与氧发生的化学反应。

原子：组成物质的微小粒子，是化学反应中不可再分的基本微粒。

皂化反应：碱和酯反应而生产出醇和羧酸盐，尤指油脂和碱反应。

脂类：指代动物脂肪和植物油的通用词，脂类存在于活体有机物中，且不溶于水。

质量：指物体内所含物质的数量，是度量物体惯性大小或物体间相互吸引能力的物理量。

图书在版编目（CIP）数据

　　和爱因斯坦一起做实验. 化学的神奇力量 /（意）马
蒂亚·克里韦利尼著；（意）萝塞拉·特里翁费蒂绘；
马雪云译. -- 广州：新世纪出版社，2022.7
　　ISBN 978-7-5583-2954-8

　　Ⅰ.①和… Ⅱ.①马… ②萝… ③马… Ⅲ.①科学实
验-少儿读物 Ⅳ.①N33-49

　　中国版本图书馆CIP数据核字(2021)第134993号

　　广东省版权局著作权合同登记号 图字：19-2021-103号

Let's Experiment! The Chemistry of Disgusting Things
Illustrations by Rossella Trionfetti
Text by Fosforo

White Star Kids® is a registered trademark property of White
Star s.r.l.

© 2020 White Star s.r.l.
Piazzale Luigi Cadorna, 6 - 20123 Milan, Italy
www.whitestar.it

Translation and editing: TperTradurre, Rome, Italy
Editing: Michele Suchomel-Casey

本书简体中文版经由中华版权代理总公司授予北京广版新世纪文化传媒有限公司

出 版 人：陈少波　　　责任编辑：刘 璇　　　责任校对：木 青
美术编辑：周晓冰　　　封面设计：陆 拾

和爱因斯坦一起做实验：化学的神奇力量
HE AIYINSITAN YIQI ZUO SHIYAN: HUAXUE DE SHENQI LILIANG
[意]马蒂亚·克里韦利尼 著　　　　　　　　[意]萝塞拉·特里翁费蒂 绘
马雪云 译

出版发行 SPM 南方传媒 新世纪出版社（广州市大沙头四马路10号）

经　销	全国新华书店		印　刷	当纳利（广东）印务有限公司
开　本	787 mm×1092 mm　1/16		印　张	3
字　数	35千		版　次	2022年7月第1版
印　次	2022年7月第1次印刷		书　号	ISBN 978-7-5583-2954-8
定　价	32.00元			